Joyeux Noël, Chien Pourri !

Colas Gutman

Joyeux Noël, Chien Pourri !

Illustrations de Marc Boutavant

Mouche
l'école des loisirs
11, rue de Sèvres, Paris 6ᵉ

© 2013, l'école des loisirs
11, rue de Sèvres, Paris 6ᵉ
Loi n° 49.956 du 16 juillet 1949 sur les publications
destinées à la jeunesse : novembre 2013
Dépôt légal : juin 2021
Imprimé en France par l'imprimerie Clerc
à Saint -Amand -Montrond

ISBN 978-2-211-21606-7

C'est Noël dans la poubelle de Chien Pourri et Chaplapla. Le pauvre chat aplati se réchauffe avec une bouillotte qui fuit et le toutou tout râpé a enfilé de vieilles chaussettes trouées. Malgré le froid et la faim, Chien Pourri attend avec impatience la venue de Chien-Noël.

– J'espère que nous allons être gâtés, Chaplapla !

— Oui, comme l'année derrière, avec une trottinette sans roues et un os sans moelle ! J'en ai marre des Noëls pourris, Chien Pourri.

Chien Pourri sent son ami Chaplapla tout raplapla, alors pour lui donner du courage, il lui demande :

— Qu'est-ce qui te ferait plaisir, Chaplapla ?

— Une nouvelle pompe à vélo pour me regonfler. Et toi, Chien Pourri ?

— Un collier antipuces et une boîte de croquettes goût bacon.

Pendant que Chien Pourri voit défiler les croquettes dans sa tête, Chaplapla sort son museau de leur poubelle.

– Oh, regarde, Chien Pourri, le caniche à frange a une nouvelle coupe de cheveux !

– Et le basset, un petit manteau d'hiver. Pourquoi personne ne nous aime, Chaplapla ?

– Parce que nous sentons la sardine, Chien Pourri.

Nos deux amis ont le moral bien bas. C'est alors que Chien Pourri a une idée :

– Chaplapla, et si nous organisions le Noël des déshérités ?

– Pourquoi pas ? Comme ça, nous pourrions inviter tous les rats du quartier dans notre poubelle !

– C'est vrai, tu es d'accord ?

– Chien Pourri, tu n'as aucune ambition ! Moi, cette année, je vais passer le réveillon dans une maison de maîtres. Suis moi, si tu veux.

Chien Pourri traîne la patte dans le caniveau. Il pense que tant qu'il sentira la sardine, personne ne voudra l'inviter, mais Chaplapla le rassure :

– Tu feras ton regard de Chien Pourri. Un soir de Noël, ça devrait marcher.

Mais le soir du 24 décembre, trouver une maison accueillante pour deux pauvres bêtes revient à chercher un diamant dans une pou-belle. Pourtant un écriteau donne un peu d'espoir à Chien Pourri.

Chien Pourri prend son courage à deux pattes et gratte à la porte.

Une petite fille répond :

— Mon papa n'est pas là et ma maman est partie !

Mais Chaplapla insiste :

— N'aie pas peur petite fille, nous ne sommes pas des bêtes…

— Seulement un chien pourri et un chat aplati, poursuit Chien Pourri.

— Où sont vos maîtres ?

— Nous n'en avons pas, dit Chaplapla.

— Entrez, dit la petite fille. Chez les Noël, c'est tous les jours Noël !

— Youpi, dit Chien Pourri.

— Hourra ! crie Chaplapla.

Mais à peine ont-ils franchi la porte, que la petite fille s'écrie :

— Oh, mais vous êtes immondes ! Remarquez, vous tombez bien, je n'avais pas de cadeaux pour mon petit frère !

Chien Pourri n'en croit pas ses puces. Il va devenir le cadeau d'un

enfant. Même dans ses rêves les plus fous, il ne pouvait s'imaginer pareille chance.

« Il me lancera des ba-balles rebondissantes, et je regarderai la télé en mangeant des mini-saucisses. C'est sûr, une gentille fée m'a transformé en labrador ! », pense-t-il.

Chaplapla, en chat échaudé, ne partage pas son enthousiasme.

– Elle va m'offrir en frisbee ou en dessous-de-plat à son petit frère.

– Prétentieux, va, dit Chien Pourri.

Noël-Noël

Dans sa chambre, la petite fille prépare ses cadeaux tombés du ciel.

– Ça ne vous dérange pas que je vous emballe dans des sacs poubelles ? Je ne veux pas gâcher mon papier fantaisie, dit la petite fille.

– Non, non, on a l'habitude, dit Chien Pourri, tout ému.

– Au fait, je m'appelle Marie-Noëlle et mon frère Jean-Noël.

– Vous êtes de la famille de Chien-Noël ? demande Chien Pourri.

– Ne l'écoutez pas, dit Chaplapla, il raconte n'importe quoi.

– Le chat, si jamais mon frère te le demande, tu n'auras qu'à dire que tu es un hamster, il adore ces petits rongeurs.

Chien Pourri et Chaplapla sont déposés au pied du sapin. Chien Pourri, enfermé dans son sac poubelle, ne peut s'empêcher de pleurer en pensant à tous les Noëls qu'il a passés dans sa benne à ordures.

– Tu te rends compte, Chaplapla, un enfant va me recevoir en cadeau !

– Ne t'emballe pas, Chien Pourri.

– Mais je suis déjà emballé.

La maman, Noëlle-Noëlle, et
le papa, Pierre-Noël, invitent les
enfants à ouvrir leurs paquets.

— Marie-Noëlle, Jean-Noël, c'est
l'heure !

Mais Jean-Noël n'est pas encore rentré.

– Que fait mon fils ? demande Noëlle-Noëlle.

– Excusez-moi, dit Jean-Noël, qui arrive essoufflé. J'avais une dernière course à faire.

Comme à chaque Noël, Noëlle-Noëlle et Pierre-Noël distribuent une encyclopédie et un atlas remis à jour à leurs petits chéris, puis les encouragent à s'offrir leurs cadeaux.

Jean-Noël tire sur le fil rouge de son sac poubelle et s'écrie :

– Quelle horreur, une serpillière !

– Je suis un chien, dit Chien Pourri.

– Et lui, c'est quoi ? Un rat alors ?

— Je suis un hamster, dit Chaplapla.

— Vous me prenez pour un âne
tous les deux ?

Devant ses cadeaux et le rire de
sa sœur, Jean-Noël serre les dents et
prépare sa vengeance.

– Ne fais pas la tête, dit Pierre-Noël, il faut accepter ce que ta sœur Marie-Noëlle t'a offert.

– N'importe quoi, c'est Chien-Noël qui apporte les cadeaux, dit Chien Pourri.

C'est au tour de Marie-Noëlle d'ouvrir son paquet.

— La vache ! fait-elle.

— C'est une boîte à meuh ? demande Chien Pourri, intrigué.

— Non, une PSB, dit Marie-Noëlle.

— Qu'est-ce que c'est ?

— Une poupée sans bras ! Il me le paiera cher !

Jean-Noël ricane de sa mauvaise blague, et Marie-Noëlle pense à l'étrangler avec une guirlande électrique.

— Allons les enfants, du calme, Noël est un jour de fête et maintenant remercions-nous les uns les autres, encourage Pierre-Noël.

« Merci Jean-Noël, Merci Pierre-Noël, Merci Marie-Noëlle, et Merci Noëlle-Noëlle. »

« Ça fait mal à la tête », pense Chien Pourri.

Leurs cadeaux sous le bras, les enfants retournent dans leur chambre. Mais, entre le frère et la sœur, la guerre est déclarée.

– Tu les as trouvés où, tes animaux ? Sur le trottoir ? demande Jean-Noël.

– Parfaitement. Et toi ta poupée sans bras, dans le caniveau ? !

– Exactement !

– Tu vas voir ce que je vais en faire, de ta poupée sans bras ! Je vais lui arracher les deux jambes.

– Eh bien, ça te fera une PSB2 !

– Affreux Noël Jean-Noël !

– Affreux Noël Marie-Noëlle !

Chien Pourri et Chaplapla se sont mis à l'abri, au fond du placard de Jean-Noël.

— C'est toujours mieux que notre poubelle, dit Chaplapla.

– J'ai peur Chaplapla.

– De quoi Chien Pourri ?

– De la poupée sans bras.

Mais Chien Pourri devrait plutôt se méfier d'un enfant mécontent de ses cadeaux de Noël.

– Houhou les monstres, où êtes-vous ? dit Jean-Noël.

« Chouette, il veut jouer à cache-cache, pense Chien Pourri, il n'est peut-être pas si méchant. »

– Sortez tout de suite ou je vous donne de la mort-aux-rats !

« Flûte, le jeu est déjà fini ! »

– Bon, si vous ne voulez pas que je vous revende tout de suite sur ibête, vous allez m'obéir. Toi, la serpillière, je vais dresser les puces que tu as sur le dos. Toi, le rat, tu feras le chat-parachute. Je vais chercher du scotch pour t'accrocher au plafond.

– Chien Pourri, c'est le moment ou jamais de nous évader, dit Chaplapla.

– Ah non, je veux voir le spectacle, répond Chien Pourri.

– Mais nous sommes le spectacle, idiot !

Chaplapla est fait comme un rat, car Jean-Noël revient accompagné de Marie-Noëlle, qui s'ennuie ferme avec sa poupée sans bras sous le bras : « elle ne peut pas passer l'aspirateur, ni faire la vaisselle, elle est nulle. »

– J'ai réfléchi, je t'échange tes deux monstres contre ma PSB, dit-elle.

– Non, ça vaut plus.

– Tu parles, ils ne valent rien.

– Eh bien, on verra ça demain.

Le marché aux puces de Noël

C'est la tradition chez les Noël, tous les 25 décembre, la famille revend ses vieux jouets et ses bibelots cassés pour venir en aide aux plus démunis. Dans le coffre de la voiture de Pierre-Noël, coincé entre un robot mixeur et une cafetière électrique, Chien Pourri apprécie la balade.

« J'adore les vide-greniers, une fois, j'ai trouvé un véritable os à moelle en plastique. »

Le pauvre chien ne se doute pas encore qu'il fait partie de la liste des objets à vendre.

Vends serpillière et dessous-de-plat d'occasion. Faire une offre.

— Mes enfants, dit Pierre-Noël, amusez-vous bien, je vais essayer de trouver une passoire.

Et tandis que Chien Pourri se demande s'il ne pourrait pas dénicher un collier antipuces d'occasion, deux vieilles connaissances s'arrêtent devant lui :

— Qu'est-ce que vous faites là ? demande le caniche à frange.

— On tient un stand, dit Chien
Pourri.

— Ah oui? Vous vendez quoi?
demande le basset à petit manteau
d'hiver.

– Une poupée sans bras, répond Chien Pourri.

– Elle est horrible, dit le basset. Vous permettez que je la prenne en photo pour ma maman ? Elle raffole de ces atrocités.

– C'est un vide-greniers, pas un vide-ordures ! ricane le caniche à frange.

Chien Pourri et Chaplapla regardent passer des enfants joyeux, mais personne ne fait attention à leur stand. Personne, sauf une petite fille en pull-over.

– Oh, regardez la malheureuse, elle n'a même pas de manteau ! dit le basset en petit manteau.

– Ni de frange, dit le caniche à frange.

Mais la petite fille s'approche et, tremblante de froid, dit :

— Cette poupée est à moi, c'est ma poupée sans bras !

— Bien sûr et moi, je suis le Père Noël, dit Jean-Noël.

— Le Père Noël ? Qui c'est celui-là ? demande Chien Pourri.

— Je l'ai trouvée l'année dernière dans une poubelle, poursuit la petite fille.

– Si tu veux cette poupée sans bras, elle va te coûter un bras ! dit Marie-Noëlle, en s'esclaffant.

– Mais je n'ai pas d'argent.

– As-tu quelque chose à échanger ? demande Jean-Noël.

– Deux patates.

– Merci, mais on en a déjà ici.

– C'est bizarre, je n'en vois aucune sur ce stand, dit Chien Pourri.

« Pauvre Pull Over », pense Chien Pourri. Il voudrait lui lécher les pieds pour la réconforter, mais il a oublié qu'il était attaché comme un vélo à un poteau. Heureusement, Noël n'est pas un jour comme les autres.

– Pour la poupée sans bras, tu peux toujours courir, par contre tu peux prendre cette serpillière. Après tout, c'est Noël, dit Marie-Noëlle.

— Mais je n'en ai pas besoin.

— Tu pourras toujours l'échanger contre un paillasson ! dit Jean-Noël.

— Je peux venir avec mon chat ? demande Chien Pourri, qui a enfin compris qu'on parlait de lui.

— Au point où nous en sommes, dit Jean-Noël.

Derrière un cageot de bouteilles cassées, Chien Pourri fait les présentations.

— Je suis Chien Pourri et voici Chaplapla.

— Et moi qui vous prenais pour une serpillière et un dessous-de-plat.

— Ce n'est rien, ça nous arrive souvent, dit Chien Pourri.

– Mais je ne pourrai pas vous nourrir, je suis très pauvre, dit Pull Over.

– Ne t'inquiète pas, les poubelles, ça nous connaît.

« Merci Chien-Noël de m'avoir donné cette enfant, elle n'est peut-être pas riche, mais elle a bon cœur », pense Chien Pourri.

Chat alors !

Dans une petite cabane, devant un bol de soupe à un seul légume, accompagné d'un fil de gruyère et d'un croûton de pain, Pull Over raconte sa triste histoire.

— Je mendiais devant l'église avec ma poupée sans bras et je me suis endormie. Quand je me suis réveillée, elle n'était plus là.

– Que c'est très triste, dit Chien Pourri, la larme à l'œil.

– Mais pourquoi fais-tu la manche, Pull Over ? demande Chaplapla.

– Mon papa est aveugle et ma maman sourde. Ils ne peuvent plus travailler.

– Que s'est-il passé ? demande Chaplapla.

– Ils ont œuvré toute leur vie chez des gens très méchants qui les forçaient à utiliser de mauvais produits ménagers. Mon papa est devenu aveugle, et ma maman sourde, à force de se faire crier dessus ! Tenez, les voilà qui reviennent de la décharge.

– Bonjour, dit Chien Pourri.

— C'est ta poupée sans bras qui parle ? demande l'aveugle.

— Qu'est-ce que tu dis ? demande la maman sourde.

— J'ai ramené deux amis, dit Pull Over.

– Laisse-moi les toucher, dit l'aveugle. Chouette une serpillière et un dessous-de-plat.

– Je vais nettoyer le sol et maman va poser la soupe. Tu n'as qu'à jouer avec ta poupée sans bras en attendant.

Hélas, Pull Over ne l'a plus et se met à pleurer.

« C'est trop injuste, se dit Chien Pourri, il faut la retrouver cette PSB ! »

Si Chien Pourri n'a pas beaucoup joué à la ba-balle dans sa vie, il s'est beaucoup entraîné au chien détective pour retrouver des bouts de croquettes. Alors, il décide de mener l'enquête et d'interroger Pull Over.

— Où as-tu vu ta poupée pour la dernière fois ?

— Sur le marché.

— Ah bon, c'est bizarre, on y était tout à l'heure. Et sur quel stand était-elle ?

— Le vôtre.

— Quelle coïncidence ! dit Chien Pourri qui n'a aucune mémoire.

— À part les bras qui manquent, a-t-elle un signe qui la distingue d'une autre poupée sans bras ?

— Non.

— Dommage.

— Ah si… J'ai gravé un cœur sur sa cuisse gauche.

— J'ai ce qu'il me faut Chaplapla, au travail !

— Chat alors ! Tu as trouvé où elle se trouve, Chien Pourri ?

— Non, mais j'aime bien les cœurs.

— Eh bien moi, je le sais, dit Chaplapla, elle est chez l'infâme famille Noël.

— Si personne ne l'a achetée au vide-greniers, s'inquiète Pull Over.

— Ne t'en fais pas pour ça, dit Chaplapla.

Chien Pourri et Chaplapla promettent à la petite fille de retrouver sa poupée sans bras et s'endorment comme chat et chien contre son pull-over qui gratte.

Jour de restes

Au réveil, Chien Pourri trépigne d'impatience.

— On y va, Chaplapla?

— Du calme, mon toutou, mangeons d'abord.

— Pull Over, mange ta tartine sans pain, sans beurre et sans confiture, nous revenons tout de suite, nous devons faire les poubelles!

Chaplapla a raison, un bon chien

détective n'est rien sans quelque chose dans l'estomac.

– Les gens jettent vraiment n'importe quoi, Chien Pourri. Regarde, une croquette à quatre branches !

«Ça porte bonheur», pense Chien Pourri.

– Qu'est-ce que c'est que ça ? demande Chaplapla.

– Un pigeon ? demande Chien Pourri.

– Non, une coiffe d'Indien, dit Chaplapla. J'ai une idée ! Qui aime les Indiens, Chien Pourri ?

– Euh, les cow-boys ?

– Mais non, banane.

– Je donne ma langue au chat.

– Je n'en veux pas, dit Chaplapla, mais je te le dis quand même : les enfants !

– Tu veux offrir un déguisement d'Indien à Pull Over ?

– Mais non, à l'infâme Jean-Noël, réfléchis !

– Pourquoi ? demande Chien Pourri.

– Pour l'échanger contre sa PSB !

Le temps de retrouver Pull Over, les voilà devant la maison des Noël, *Chez nous, c'est tous les jours Noël.*

Un Indien vaut mieux
que deux tu l'auras

Chien Pourri s'est déguisé en Indien, Chaplapla en chat avec une plume de pigeon sur la tête pour être assorti, et Pull Over s'est cachée derrière une branche de sapin pour tromper l'ennemi.

— Ding-dong, fait Chien Pourri.

— Ça ne sert à rien d'imiter le bruit de la sonnette. Frappe à la porte, Chien Pourri.

— Mon papa n'est pas là et ma maman est partie, répond Marie-Noëlle.

— Nous avons un déguisement d'Indien des poubelles, dit Chien Pourri.

— Jean-Noël, c'est pour toi !

Malheureusement, le plan de Chaplapla tombe vite à plat.

— Papa, maman, au secours ! Les détritus sont revenus ! crie Jean-Noël.

— On dit des intrus, le reprend Pierre-Noël. Restez calmes, les enfants.

— Ils veulent échanger ma poupée sans bras contre un costume
d'Indien trouvé dans une poubelle.
C'est pas juste, ça vaut plus ! dit Jean-
Noël.

— C'est MA poupée sans bras,
rectifie Marie-Noëlle.

— Non, elle est à moi ! affirme
Pull Over qui sort de sa cachette.

— Quelqu'un peut-il m'expli-
quer ce qui se passe ? demande
Noëlle-Noëlle.

Noël au balcon

Chien Pourri et Chaplapla prennent place dans la grande bibliothèque du salon. Chaplapla ne peut plus parler, il a un chat dans la gorge, l'émotion le gagne. Chien Pourri a trop peur de la poupée sans bras pour s'exprimer. C'est donc à Pull Over de se défendre toute seule.

— Je mendiais devant l'église et je me suis endormie, dit Pull Over.

– Eh bien moi, je jouais dans mon lit et je me suis assoupie, dit Marie-Noëlle, mais je ne raconte pas ma vie aux autres !

– Quand je me suis réveillée, ma poupée avait disparu, continue Pull Over.

– Et moi, j'avais perdu mon bonnet de nuit, dit Jean-Noël. Papa, maman, n'écoutez pas cette souillonne !

– C'est vrai que ton histoire est triste, petite fille, mais rien n'indique pour autant que cette poupée est à toi, souligne Noëlle-Noëlle.

Pull Over tremble, elle est à court d'arguments. Chien Pourri se cache les yeux pour ne pas avoir à regarder la poupée sans bras. Malgré tout, il faut qu'il intervienne au plus vite.

– Raconte, Pull Over, ce que tu as gravé sur ta poupée, dit Chien Pourri.

– Un petit cœur sur la cuisse gauche.

Pierre-Noël saisit la poupée par la jambe et découvre stupéfait le cœur gravé.

– Bon sang, elle a raison ! C'est sa poupée sans bras !

– Quelle horreur ! Jean-Noël comment as-tu pu voler la poupée d'une déshéritée ?

– Ben quoi, Pull Over dormait et sa poupée traînait dans le caniveau. J'ai pensé que c'était un chouette cadeau pour Marie-Noëlle. Ça vaut quand même plus que ces animaux immondes !

– Les enfants, nous allons devoir sévir et vous punir, dit Noëlle-Noëlle.

– Oh, ne soyez pas trop sévères, dit Chien Pourri. Après tout, c'est Noël.

Grand prince, Chien Pourri dépose au pied du petit Jean-Noël son déguisement d'Indien des poubelles.

— La prochaine fois, tu feras les poubelles, plutôt que les caniveaux, gros nigaud ! dit Chaplapla.

— De toute façon, je m'en fiche de cette poupée sans bras, dit Marie-Noëlle. J'attends la PSB5 : sans bras, sans jambes, sans cheveux, sans oreilles et sans cou !

Un conte de poubelle

Noël n'est pas complètement terminé pour Chien Pourri et Chaplapla, il leur faut maintenant dire adieu à Pull Over et regagner leur poubelle.

– Au revoir, Pull Over, ne prends pas froid, dit Chien Pourri.

– Merci mes amis. Vous m'avez fait passer un très beau Noël.

Mais pour qu'il soit vraiment parfait, il fallait une étincelle, comme une rencontre au coin d'une rue…

– On vous cherchait partout, dit
le caniche à frange.

– J'ai montré la photo de ta
poupée à ma maman. Elle a vu la

même dans *Hot Dog magazine* ! dit le basset.

— C'est une poupée collector, explique le caniche à frange.

— Ça veut dire quoi ? demande Pull Over.

— Qu'elle est très rare et qu'elle vaut très cher. Tu vas devenir riche !

— Jamais de la vie je ne la vendrai, dit Pull Over.

— Allez, au moins une jambe, je suis sûr que tu as besoin d'argent.

La petite fille réfléchit, ses parents pourraient aller chez le docteur et retrouver la vue et l'ouïe. Elle arrache alors de bon cœur la cuisse gauche de sa poupée, celle avec le petit cœur gravé, pour la vendre à la maman du basset à petit manteau.

Chien Pourri et Chaplapla repartent ravis de leurs aventures d'autant que dans leur benne les attendent deux sacs poubelles entourés d'un ruban rouge.

– Tu crois qu'il est passé Chaplapla ?

– Qui ?

– Chien-Noël.

– Tu rêves, Herbert.

– Non moi, c'est Chien Pourri, Chaplapla.

Une fois n'est pas coutume, ce vieux toutou pourri a raison, Chien-Noël est descendu dans leur poubelle. Chaplapla reçoit une nouvelle pompe à vélo pour se regonfler et Chien Pourri le collier antipuces dont il rêvait. Il ne leur reste plus qu'à déboucher une bouteille vide pour fêter dignement Noël.

– Joyeux Noël, Chaplapla !

– Joyeuse poubelle, Chien Pourri !

fin